행복해, 행복해!

SEOUL, 2011

행복해, 행복해!

초판 제1쇄 발행일 2011년 4월 15일
초판 제33쇄 발행일 2022년 3월 20일
글 로세 라게르크란츠 그림 에바 에릭손 옮김 황덕령
발행인 박헌용, 윤호권 발행처 (주)시공사
주소 서울시 성동구 상원1길 22, 6-8층 (우편번호 04779)
대표전화 02-3486-6877 팩스(주문) 02-585-1247
홈페이지 www.sigongsa.com/www.sigongjunior.com

Mitt lyckliga liv by Rose Lagercrantz & Eva Eriksson
Text © Rose Lagercrantz, 2010
Illustrations © Eva Eriksson, 2010
All rights reserved.
Korean translation copyright © 2011 by Sigongsa Co., Ltd.
The Korean language edition published by arrangement with
Bonnier Group Agency, Stockholm through MOMO Agency, Seoul.

이 책의 한국어판 저작권은 모모 에이전시를 통해
Bonnier Group Agency와 독점 계약한 (주)시공사에 있습니다. 저작권법에 의해
한국 내에서 보호받는 저작물이므로 무단 전재와 무단 복제를 금합니다.

ISBN 978-89-527-8698-2 74890
ISBN 978-89-527-5579-7 (세트)

*시공사는 시공간을 넘는 무한한 콘텐츠 세상을 만듭니다.
*시공사는 더 나은 내일을 함께 만들 여러분의 소중한 의견을 기다립니다.
*잘못 만들어진 책은 구입하신 곳에서 바꾸어 드립니다.

KC마크는 이 제품이 공통안전기준에 적합하였음을 의미합니다.
제조국 : 대한민국 사용 연령 : 8세 이상
책장에 손이 베이지 않게, 모서리에 다치지 않게 주의하세요.

행복해, 행복해!

로세 라게르크란츠 글 · 에바 에릭손 그림 · 황덕령 옮김

시공주니어

차례

♥ 일러두기 : 이 책의 배경인 스웨덴에서는 보통 만 7세에 초등학교에 입학하고, 새 학년은 8월 말에 시작해 이듬해 6월 초에 끝납니다.

첫 번째 이야기

밤이 늦었지만, 둔네는 잠이 오지 않았어요.
이럴 때 다른 아이들은 양을 세지만, 둔네는
행복했던 때를 하나하나 떠올려 본답니다.

사촌 오빠 스반테가 개구리를 선물했을 때,

수영을 배우고 처음으로 땅에 발을 대지 않고
세 번 발차기에 성공했을 때,

처음으로 책가방이 생겼을 때를 말이에요.

초등학교에 들어가는 것도 둔네는 무지무지
행복했어요.

입학식 날만 손꼽아 기다렸더니 신 나는 여름도
너무 길게 느껴질 정도였어요.

두 번째 이야기

드디어 입학식 날이 되었어요. 아빠 손을 잡고
학교에 가는데 너무 떨리기 시작했어요.

어떤 일이 벌어질까요? 교실에 앉아 읽고, 쓰고,

공부만 하는 걸까요?

둔네는 글씨를 읽고 쓸 줄 알아요. 여섯 살 때부터 조금씩 배웠으니까요.

둔네가 아빠한테 물었어요.

"선생님을 좋아하게 될까요?"

아빠가 웃으며 대답했어요.

"물론이지."

"좋은 친구들을 만날까요?"

둔네는 갑자기 겁이 났어요. 친구를 한 명도 못 사귀면 어떡하지요?

만약 그렇게 된다면 학교에 절대 안 갈 거라고, 속으로 다짐했어요.

"아빠, 잘할 수 있게 기도해 주세요!"

이렇게 말하고, 둔네는 학교로 걸어 들어갔어요.

13

세 번째 이야기

　선생님이 교실 문 앞에서 아이들을 맞이하고
있었어요. 어떤 남자아이는 교실에 들어가지
않겠다고 떼를 썼어요.

그 아이네 엄마가 20크로나(스웨덴의 화폐
단위로, 20크로나는 약 3,500원이다:옮긴이)짜리
지폐 한 장을 주자, 그제야 교실에 들어갔지요.

교실 안, 아이들이 모두 자리에 앉자 선생님이
큰 소리로 얘기했어요.
"여러분 모두 입학을 환영해요!"
몇몇 아이들은 손을 높이 들고, "네!"하고
대답했어요. 둔네도 손을 들었어요. 손을 들고

씩씩하게 대답할 수 있을까 걱정되어서 가슴이
두근거렸는데, 결국 해낸 거예요.

조금 뒤 아이들은 자기 이름을 쓸 크레파스와
종이를 하나씩 받았어요.

둔네의 원래 이름은 다니엘라예요. 하지만
'둔네'라고 썼어요.

미카엘라가 '미칸'이라고 쓴 것처럼요.

에릭은 '메테보리'라고 썼어요. 요나탄은

그대로 '요나탄'이라고 썼지요.

　모두들 자기 이름을 쓸 줄 알았어요. 딱 한 명만
선생님이 도와줘야 했지요.

　이제 막 재미있어지려는데 수업이 다 끝나
버렸지 뭐예요. 어느새 집에 갈 시간이었어요.

　저녁 식사 시간, 둔네는 처음 학교에 간 날을
아빠랑 축하하기로 했어요.

둔네네 가족은 둔네, 아빠, 고양이 이렇게
셋이랍니다. 고양이는 이제 1학년이 된 둔네가
제법 커 보이나 봐요.
"꽤 재미있었어요."
둔네가 말했어요.
"처음에는 조금 떨렸는데 점점 재미있었어요."

하지만 둔네는 아직 친구를 사귀지 못했답니다.

네 번째 이야기

다음 날, 둔네는 학교 운동장에 서 있었어요.
첫 번째 쉬는 시간 내내, 혼자 운동장에 서서
주위를 두리번거리기만 했어요. 두 번째 쉬는

시간에도 혼자 이리저리 둘러보다가, 둔네처럼
혼자 서 있는 여자아이를 발견했어요.
　사실은, 서로 쳐다보다가 눈이 마주쳤어요.

둔네는 용기를 내어 먼저 말을 걸었어요.
"그네 탈래?"
그 여자아이가 엘라 프리다예요. 엘라
프리다는 고개를 끄덕였어요.

둔네와 엘라 프리다는 다음 수업 시작종이
울릴 때까지 신 나게 그네를 탔어요.
　학교 수업이 끝난 다음에도, 둔네는 학교에
남아서 엘라 프리다와 그네를 타고 싶었어요.

타고 또 타도 멈추고 싶지 않았어요.

"그네는 내일 또 타도 되지 않니?"
선생님이 이렇게 말할 때까지, 둔네와
엘라 프리다는 계속 그네를 탔어요.

다섯 번째 이야기

둔네는 학교 가는 게 행복해졌어요.

학교에 가면 엘라 프리다랑 그네를 탈 수
있으니까요.

둔네와 엘라 프리다는 놀이 방에 나란히 앉아
해가 지는 모습을 그리기도 했어요.
　둘은 해가 지는 모습을 무척 좋아했답니다.

둔네는 행복했어요. 선생님이 교실에서
엘라 프리다와 나란히 앉게 해 주었거든요.
　하지만 딱 한 가지, 숙제가 없는 건 너무
아쉬웠어요.
　선생님이 말했어요.
　"첫째 주에는 숙제가 없어요."

둔네는 숙제를 무척 하고 싶었어요. 아빠가
둔네와 함께 숙제를 하고 싶어 한다는 걸 알고
있었거든요.

선생님이 식당에서도 엘라 프리다와 같이
앉아도 된다고 했을 때, 둔네는 정말 행복했어요.

빵을 먹을 때에도 둘은 늘 똑같이 두 개씩을
먹었어요.
둔네는 세모난 빵을 먹고, 엘라 프리다는 네모난
빵을 먹었지만요.

체육 시간에 둘씩 짝지어 체조를 할 때에도,
늘 둘이서 짝을 했지요.

어느 날은 학교 뒤 작은 언덕으로 소풍을 갔어요.
경치를 둘러보고, 둔네와 엘라 프리다는 도시락을
꺼내 점심을 먹었어요.

그때 엘라 프리다가 깜짝 선물을 건넸어요.
작은 상자 안에, 하트 모양을 반으로 나눈 목걸이
한 쌍이 있었어요.
　엘라 프리다가 말했어요.
"우정 목걸이야."
둘은 목걸이를 하나씩 목에 걸었어요.
아, 둔네는 정말 행복했어요!

엘라 프리다네 집에 가면 엘라의 여동생 미란다,
기니피그 '꼬맹이'와 함께 놀았어요.
미란다는 둔네와 엘라 프리다에게 화가 나면
소리를 질렀어요.
"때 할 거야!"
미란다가 하고 싶은 말은 아마 '때려 줄 거야!'일
거라고, 두 사람은 생각했어요.

여섯 번째 이야기

엘라 프리다가 둔네네 집에 와서 하룻밤을
잘 때에도 둔네는 행복했어요.

그럴 때면 둘은 '밤놀이'를 해요.

둔네와 엘라 프리다의 밤놀이는 밤 열 시에
시작해서, 둘이 동시에 잠들어 버릴 때까지
계속된답니다.

이불을 뒤집어쓰고, 작은 손전등으로 서로
얼굴을 비추며 밤참을 먹어요. 치즈와 오이가
들어간 작은 샌드위치 같은 것을요.

그러다 서서히 눈꺼풀이 무거워지면, 둘은

서로의 어깨에 기대어 잠들곤 하지요.

　그렇게 밤놀이는 끝난답니다. 밤놀이를 할
때마다 둔네는 행복했어요.

둔네는 엘라 프리다와 함께, 꼬맹이를 샀던
동물 가게에 갔어요.

그곳에는 귀엽고 예쁜 기니피그 두 마리가
있었어요. 눈송이같이 하얬어요. 둔네와
엘라 프리다는 기니피그들에게 '눈'이랑
'송이'라는 이름을 지어 주었어요.

엘라 프리다가 말했어요.

"너희 아빠한테 눈이랑 송이를 사도 되는지

한번 물어봐."

둔네가 아빠한테
물어보았지만 아빠는
안 된다고 했어요.
둔네는 아빠가
안 된다고 할 때가
세상에서 가장
나쁘다고 생각했어요.
그럴 때면 정말
슬퍼지거든요.

하지만 몇 분 뒤에 둔네는 다시 행복해졌어요.
어쩌면 몇 시간 뒤였던 것 같아요. 며칠 뒤였던
것도 같고요.
정확히 얼마 뒤였는지는 잘 기억나지 않아요.

어쨌든 다시 행복해졌어요. 엘라 프리다가 책갈피를
바꾸자고 했거든요.

엘라 프리다는 어렸을 때 할머니가 준 천사
책갈피 빼고는 다 괜찮다고 했어요. 하지만 둔네는
천사 책갈피를 꼭 갖고 싶었어요.

둔네가 책갈피를 두 개 줄 테니까 바꾸자고
했지만, 엘라 프리다는 안 된다고 했어요.
둔네는 세 개, 네 개, 다섯 개, 아니 자기가 가진
책갈피를 다 주겠다고 했어요. 하지만 엘라 프리다는
그 천사 책갈피만큼은 줄 수 없다고 했어요.

둔네는 화가 났어요. 천사 책갈피 때문에요.
사실 둘은 가끔 이렇게 싸우기도 했어요.
하지만 그리 오래가지는 않았답니다. 금세
다시 사이가 좋아졌거든요.

둔네와 엘라 프리다처럼 사이좋은 친구는 아마
본 적이 없을 거예요. 비 오는 날에도, 맑은
날에도 둘은 늘 함께예요.

일곱 번째 이야기

'과일 공부 주'에는 일주일 내내 과일에 대해
공부했어요. 그다음 주는 '채소 공부 주'였고요.
그리고 크리스마스 휴가가 찾아왔어요.

크리스마스이브 날, 둔네는 아빠와 고양이와 함께
외할머니 댁에 갔어요. 둔네는 멋진 크리스마스
선물들을 하나하나 풀어 보고, 선물 받은
장난감들을 가지고 놀았어요. 그중에는 재미있게
생긴 북극곰 인형도 있었어요.
　　하지만 금세 엘라 프리다가
보고 싶어졌어요.

휴가가 끝나고 다시 학교가 시작되었을 때,
둔네는 행복했어요. 엘라 프리다를 만났으니까요.

'우유·버터·치즈 공부 주'가 시작되었어요.
그 주에는 소 그리기 시간도 있었지요. 둔네는
커다란 뿔이 난 빨간 소를 그렸어요. 그런데
엘라 프리다는 스케치북에 아무것도 그리지 않고,
손으로 눈을 가리고 있었어요.
둔네가 소곤소곤 말했어요.

"왜 그래? 너 우는 거니?"

엘라 프리다는 아무 말 없이 울기만 했어요.

그때 선생님이 엘라 프리다가 전학을 가게
되었다고 말했어요. 그 말을 듣는 순간 둔네는
울음을 터뜨리고 말았어요.

울고 또 울었어요. 어떻게 하면 좋지요?

여덟 번째 이야기

둔네는 침대에 누워 행복했던 순간을 떠올려
보려고 했지만 잘 되지 않았어요.
엘라 프리다가 전학 가던 날, 둔네는 행복하지

앉았어요. 너무나 불행했어요.
　엘라 프리다를 따라서 전학을 가고
싶지만 그럴 수가 없었어요.

훔레.

둔네가 지금까지 쭉 살아온 곳이에요.

아빠랑 고양이랑 함께 말이에요.

겨울이면 썰매를 탈 수 있는 언덕이 바로 옆에
있는, 노란 집에서요.

옛날에는 엄마도 이곳에 함께 살았어요. 지금은
멀리 떠나 버렸지만요.

누군가가 죽으면, 사람들은 멀리 떠났다고 말해요.

멀리 떠났다니, 도대체 어디로 갔다는 걸까요?

멀리는 어디에 있는 걸까요?

엘라 프리다도 멀리 떠났어요. 하지만 아주 가 버린 건 아니에요. 엘라 프리다는 차를 타고 갔어요. 노르셰핑이라는 도시로 갔다는 것도 알아요.

노르셰핑은 훔레에서 아주 멀리 떨어져 있는 도시예요. 강도, 숲도, 언덕도 수천 번은 더 지나야 해요.

이제 둔네와 단짝 친구 엘라 프리다 사이에 수천 개의 강과, 숲과, 언덕이 생긴 거예요.

아홉 번째 이야기

엘라 프리다가 전학을 간 다음 날, 둔네는
엘라 프리다가 앉았던 빈 의자를 멍하니
쳐다보기만 했어요.

　그날, 둔네는 운동장에서 그만 넘어지고
말았어요. 스타킹이 찢어지고, 무릎에서 피가
났어요.

너무 아파서 절대 잊어버리지 못할 것만
같았어요. 아마 둔네가 서른다섯 살이 되어도
못 잊을 거예요.

선생님이 무릎에 반창고를 붙여 줬지만 별로
도움이 되지 않았어요. 반창고가 너무 작아서
자꾸만 떨어졌거든요.

둔네는 엉엉 울었어요.

무릎이 아파서 운 게 아니에요.

엘라 프리다가 전학을 가서 운 거예요.

열 번째 이야기

둔네는 다음 날에도 또 울었어요.
그런데 아이들이 축구를 하다가……,

요나탄이 둔네를 보지 못하고 슝 하고 공을 차는
바람에……,

둔네가 그만 쫘당 넘어지고 말았어요!
둔네의 머리에 커다란 혹이 났어요.

아빠가 둔네를 데리고
응급실로 달려갔어요.
응급실에서는 둔네의
머리에 붕대를 감아
주었어요.

둔네는 아파서 운 게 아니에요.
더 이상 행복하지 않아서 운 거예요.

열한 번째 이야기

'빵 공부 주'가 시작되고, 빵에 대한 모든 것을
배웠어요. 하지만 조금도 재미있지 않았어요.
둔네는 아빠랑 집으로 가는 길에 동물 가게를

지나게 되었어요. 아빠는 둔네에게
아직도 기니피그를 가지고
싶으냐고 물었어요.
　둔네는 다시, 아주 조금
행복해졌어요.

그런데 눈이랑 송이가 벌써 팔리고 없으면
어떡하죠? 둔네는 가게에 들어가서,
기니피그들이 있던 곳으로 달려갔어요.
  눈이랑 송이는 거기 그대로 있었어요. 처음
봤을 때랑 똑같이 귀엽고 예뻤어요.
  주인아주머니가 눈이랑 송이를 꺼내서
둔네에게 건네주었어요.

아빠는 눈이랑 송이가 살 집과 한 마리씩
들어가서 잘 수 있는 작은 상자 두 개, 비타민,
톱밥, 건초, 밥그릇까지 모두 사 주었답니다.

집에 돌아오자마자, 둔네는 눈이랑 송이의
집을 예쁘게 꾸몄어요. 눈이랑 송이는 자기
방이 된 작은 상자 안으로 들어가서 엉덩이가
보이게 돌아앉았어요.
　기니피그는 조용히 혼자 있고 싶을 때 이렇게
해요. 화가 나면 이빨을 딱딱거리고요. 기분이
좋으면 눈을 반짝이고, 가르랑거리기도 해요.

겁에 질리면 삑삑 소리를 내요. 그러다 똥을
싸기도 하고요.

　사실 똥은 하루 종일 싸기 때문에, 겁에 질리든
그러지 않든 상관없다고 할 수 있지요.

열두 번째 이야기

둔네는 자기가 꽤 행복한 아이라고 생각했어요.
엘라 프리다가 전학을 간 뒤부터는 예전만큼
행복하지는 않았지만요.

둔네는 놀이 방에 앉아서 남자아이들을
쳐다보고 있었어요. 남자아이들은 레고 블록으로
커다란 성을 쌓고 있었어요.

며칠 동안이나 성을 쌓으면서, 여자아이들은
끼워 주지 않았어요. 여자아이들은 점점 화가
나기 시작했어요.

마침내 성이 완성되자, 미칸이 성에 있는 탑
하나를 발로 툭 건드려 넘어뜨렸어요.

비칸은 성벽 하나를 살짝 쳐서 무너뜨렸고요.

'흠, 이렇게 한단 말이지?'

둔네는 성 한가운데를 푹 깔고 앉아 버렸어요.

성 한가운데에 폭탄이 떨어진 꼴이었어요.

남자아이들은 엄청 놀라고 실망해서 결국

화가 머리끝까지 났지요.

남자아이들이 산산조각 나서 이리저리 흩어진
블록들을 여자아이들에게 던지기 시작했어요.
여자아이들도 맞받아 던졌어요.
레고 전쟁이 벌어진 거예요!

그때 둔네가 너무 세게 미는 바람에 요나탄이
바닥에 넘어져 얼굴을 부딪혔어요. 요나탄의
얼굴에서 갑자기 피가 나기 시작했어요!

선생님이 황급히 달려왔어요. 처음에는
코피가 나는 줄 알았는데, 자세히 보니까 요나탄이
얼마 전에 새로 치료한 앞니가 빠지려고 하면서
그 자리에서 피가 나고 있었어요.
선생님이 미칸과 비칸에게 소리쳤어요.
"얼른 보건 선생님을 모셔 오너라!"

둔네는 무슨 일이 일어났는지 알 수가 없었어요.
도저히 알아볼 용기가 나지 않았거든요.
　둔네는 너무 겁이 나서 책상 밑으로 숨어
버렸어요.

열세 번째 이야기

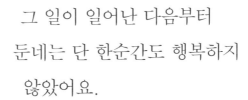

그 일이 일어난 다음부터
둔네는 단 한순간도 행복하지
않았어요.

그날 저녁, 모임에 나간
아빠 대신 둔네를
돌봐 주러 외할머니가
왔어요.
　보통 때 같으면
둔네는 할머니가

와서 무지무지 행복했을 거예요.

할머니는 다정하고, 세상에서 가장 맛있는
요리를 해 주거든요.

그날도 할머니는 둔네가 가장 좋아하는, 케첩
소스를 넣은 마카로니(가느다란 대롱처럼 가운데에
구멍이 있는 이탈리아식 국수:옮긴이) 요리를
만들었어요.

하지만 둔네는 마카로니를 입에 대지도
않았어요. 자기 때문에 앞니가 빠질 뻔한
요나탄 생각이 머릿속에서 떠나지 않았거든요.

할머니와 영화를 보는 아주 잠깐 동안은
요나탄을 잊을 수 있었어요.

그런데 물을 마시려고 탁자 위에 놓인 물컵에
입을 댄 그때였어요. 둔네는 입술에 뭔가 딱딱한
것이 닿는 것을 느꼈어요.

바로 할머니의 틀니였어요! 할머니는 가끔 틀니를 빼서 물컵에 담가 놓았거든요.

그다음부터 둔네는 할머니의 틀니가 자꾸 떠올랐어요.

"이제 요나탄도 틀니를 껴야 하는 걸까? 다 나 때문이야! 어쩌면 좋지?"

결국 둔네는 요나탄에게 편지를 쓰기로
결심했어요.

요나탄에게
너를 그렇게 넘어뜨릴 생각은 없었어.
미안해.
둔네가.

추신. 만약 네가 틀니를 껴야 한다면, 가끔 빼서
물컵에 담가 놓아야 하는 것 같아.

열네 번째 이야기

요나탄에게

다음 날 둔네는 요나탄에게 편지를 전해 주려고
했어요. 하지만 요나탄은 편지에는 전혀 관심이
없는 것 같았어요.

요나탄은 치아 교정기를 끼고, 번쩍번쩍 빛나는
새 비엠엑스(BMX) 자전거를 타고 학교에 왔어요.

비엠엑스 자전거는 마치 말을 탄 것처럼 높이
뛸 수 있는 자전거예요. 그것 말고는 특별할 건
없어요. 뒤에 짐을 둘 곳도 없는걸요.

요나탄은 자전거에서 뛰어내린 다음에는
구슬치기를 했어요. 둔네는 다시 한 번 요나탄에게
편지를 주려고 했어요.

84

　구슬치기에서 세 번이나 이기고 나서야,
요나탄은 둔네의 편지를 읽었어요.
　그러고는 둔네에게 틀니는 필요 없을 거라고
말했어요. 자기 이는 튼튼하게 교정될 거라고요.
　그제야 둔네는 다시 행복해졌어요!

　조금 뒤 미칸과 비칸이 둔네에게 줄넘기를 같이
하자고 소리쳤어요.

둔네는 행복했어요.

줄넘기는 가장 자신 있는 놀이거든요.

그날 둔네는 쉬지 않고 오백 번이나 줄넘기를
했답니다. 반 아이들 모두가 둘러서서, 둔네가
줄넘기 오백 번을 성공하는 모습을
지켜보았어요.

열다섯 번째 이야기

'감자 공부 주'에는 감자에 대한 모든 것을 배웠어요.
학교 수업을 마치고, 둔네는 비칸이랑 미칸과 함께
빈 깡통과 빈 병을 찾으러 다녔어요. 아주 많이

모았답니다.

셋은 빈 깡통과 빈 병 들을 가게에 가져다주고,
돈으로 바꾸어서 풍선껌을 샀어요.

그런 다음에는 요나탄과 '누가누가 스티커를
많이 찾나' 내기를 했답니다. 사과나 바나나 같은
과일에 붙은 스티커를 모으는 내기예요.

둘은 각자 찾은 스티커를 놀이 방에 있는
빨간 장판 뒷면에다 붙였어요.

열여섯 번째 이야기

요즘 학교에서는 '나만의 이야기책'을 만들고 있어요. 그래서 글쓰기 시간이 생겼어요.

둔네가 만드는 이야기책 제목은 무엇일까요?

〈나의 행복한 인생〉이랍니다.

둔네는 이야기책에 이렇게 썼어요.

내 이름은 다니엘라인데, 다들 둔네라고 불러.

내 머리카락은 금빛으로 밝게 반짝여. 아주 밝은 금빛이지.

내 두 눈은 파랗고, 내가 가장 좋아하는 음식은

케첩 소스를 뿌린 마카로니야. 그리고 난 내가 아주
행복하다고 느낀 적이 많아.

둔네는 더 쓰지 않았지만,
행복하다고 느낀 적이 많다는
말은 진짜예요.

어렸을 때, 둔네는 늘
행복했어요.

왜냐하면 둔네에게는
손가락도, 발가락도
다 있었고, 또 자기
발이 참 예쁘다고
생각했거든요.
배도 무척 마음에
들었어요. 부드러운

배를 만지면 기분이 좋아졌어요.

무엇보다도 그때는, 둔네에게 엄마가
있었으니까요.

그런데 엄마가 아프기 시작했어요. 병원에
입원해야 했지요. 가끔 집에 오기도 했지만
그럴 때면 늘 베란다에 앉아 쉬곤 했어요. 둔네는
대부분의 시간을 외할머니, 외할아버지 댁에서
보내야 했어요.

어느 날 저녁, 아빠가 병원에서 전화를 했어요.
엄마가 멀리 떠났다고. 그때 둔네는 너무 어려서
그 말이 무슨 뜻인지 몰랐어요.

조금 시간이 지난 뒤에 할머니가 아빠의 말이
무슨 뜻인지 설명해 줬어요. 엄마는 멀리
떠난 게 아니라, 날개를 달고 하늘나라로 갔다고.

열일곱 번째 이야기

아빠도 멀리 떠났어요. 날개를 단 게 아니라,
비행기를 타고 이탈리아로 날아갔지요. 둔네도
함께 갔어요. 이탈리아에 둔네의 친할머니가 살고
있거든요. 아빠랑 둔네는 2년에 한 번씩,
여름이면 이탈리아로 가요.

이탈리아 여행에서 둔네가 기억하는 가장 멋진
순간은 짐칸에 앉아 있었을 때예요.
둔네는 쌓아 올린 가방들 맨 꼭대기에 앉아
있었어요. 아찔하리만큼 높은 그곳에서 하마터면

떨어질 뻔했는데, 아빠가 잽싸게 달려와서 둔네를
받아 주었어요.

둔네가 떨어지면 아빠는 언제나 받아 준답니다.
아빠가 없었다면 어떻게 되었을까요? 아빠가
있어서 얼마나 다행인지 몰라요.

둔네랑 가족들이 이탈리아 식당에 간 적도
있어요. 그때 둔네가 그만 바닥에 넘어졌어요.
두 손이며 무릎, 코까지 온통 긁혔지 뭐예요.

넘어졌는데 울지도 않고 씩씩하다며, 식당에서
둔네에게 초콜릿 케이크를 선물했어요.

둔네는 의기양양하게 초콜릿 케이크를
가족들에게 대접했어요.

사촌 알레산드로와 조잘조잘 얘기를 하는 것도
즐거웠어요. 둔네는 스웨덴 말을 하고,
알레산드로는 이탈리아 말을 했지요.

알레산드로가 말했어요.

"피오레."

꽃이라는 뜻이에요. 그리고 또 말했어요.

"아모레."

사랑한다는 뜻이에요. 이 말은 둔네도
알아들었어요. 아빠가 둔네에게 늘 하는
말이니까요.

열여덟 번째 이야기

"아모레! 아직 안 자니?"

"네, 잠이 안 와요."

둔네는 베개에 머리만 닿으면 곧바로 잠이

들곤 해요. 그런데 오늘은 도무지 잠이 오지
않았어요. 아빠가 걱정스레 말했어요.

"어떻게 하면 좋을까? 혹시 배고프니?"

"네, 배고파요."

밤에 음식을 조금 먹어야 하는 아이들도
있대요. 둔네도 그런 아이일까요? 둔네는
따뜻한 우유에 꿀을 타서 먹었어요.

눈이랑 송이도 자지 않고 둔네를 보고 있었어요.

무슨 일이 일어날지 궁금해하는 것 같았어요.

둔네가 눈에게 속삭였어요.

"아모레."

송이에게도 속삭여 주었어요.

"너도 아모레."

둔네가 어디까지 셌지요?

그래요, 둔네는 줄넘기 오백 번을 쉬지 않고 넘기도 했지요. 둔네가 세운 최고 기록이었어요. 반 아이들 모두, 그 모습을 지켜봤어요. 그때도 둔네는 행복했어요.

가장 친한 친구는 이제 둔네 곁에 없지만, 다른 친구들은 많이 있어요. 요나탄, 비칸, 미칸도 있고, 둔네가 좋아하는 메테보리라는 남자아이도 있어요.

선생님은 둔네의 아빠에게, 둔네한테 참 좋은 친구들이 많다고 말했어요. 책상에서 떨어지거나 하면서 말썽을 부리는 아이들은 없다고요.

참, 선생님이 베니를 깜빡했네요. 입학식 날, 엄마한테 20크로나를 받고서야 못 이기는 척하고 교실에 들어왔던 그 남자아이 말이에요.

어느 날은 베니가 수업 시간에 몰래 교실을 빠져나가서 과자 가게로 뛰어갔어요. 그러고는

다시 교실로 몰래 들어왔지요.

　하지만 선생님이 몰랐을 리가 없죠. 쉬는
시간에 선생님은 베니를 무섭게 야단쳤어요.
선생님이 뭐라고 했는지는 모르지만 별 효과는
없었던 것 같아요. 안 된다고 했는데도 여전히
베니는 수업 시간에 과자를 먹는걸요!

　가끔은 마치 악어처럼 교실 바닥을 기어
다니기도 하고요. 그러면 베니는 남은 수업 시간
내내 선생님이 서 있는
교탁 옆에 서서 벌을
받아요.

자, 이제 가장 행복한 일을 셀 차례예요. 최고는
늘 마지막으로 남겨 두잖아요.
바로 편지예요!

어느 날 노르셰핑에서 둔네 앞으로 편지가
한 통 왔어요.
그 편지를 펼쳐 읽는 순간, 둔네는 세상에서
가장 행복한 사람이 된 것만 같았어요.

둔네야, 안녕?
난 너 없이는 살 수 없어.
너의 친구 엘라 프리다가.

편지 봉투 속에는 엘라 프리다가 그렇게 아끼고
아끼던, 가장 예쁜 천사 책갈피가 들어 있었어요.

열아홉 번째 이야기

둔네는 곧장 답장을 썼어요.

안녕, 엘라 프리다!
어른이 될 때까지 우리는 둘 다 노력해야 해.
나중에 같은 도시에 살고, 같은 집에 살고, 같은
곳에서 일도 할 수 있도록 말이야.

같은 가게에서 일해도 좋을 것 같고, 아니면
아프리카나 오스트레일리아에서 아픈 동물들을
보살펴 주는 일을 함께하는 것도 좋을 것 같아.

사랑을 가득 담아, 너의 친구 둔네가.

추신. 노르셰핑에서 같이 사는 것도 좋아.

얼마 뒤 둔네는 또 편지를 받았답니다.

둔네야, 안녕?
난 그렇게 오래 못 기다리겠어.
이번 방학 때 놀러 오지 않을래?

사랑을 가득 담아,
너의 친구 엘라 프리다.

엘라 프리다의 엄마가 둔네의 아빠에게 전화를
했어요. 둔네가 노르셰핑에 잠깐 다녀가면
어떻겠냐고요.

내일이면 둔네는 엘라 프리다를 만나러
간답니다. 아, 둔네는 내일이 무지무지
기다려져요!
   내일이 빨리 왔으면 좋겠다고 생각할수록
시간은 늦게 가는 것 같아요.
   눈이랑 송이도 들떴나 봐요. 드디어 눈이랑
송이도 엘라 프리다의 기니피그 꼬맹이를
만날 수 있어요!

스무 번째 이야기

아빠가 방문을 열고 얼굴을 내밀었어요.
"둔네야, 아직 안 자니? 이제 자야지!"
아빠가 한숨을 쉬었어요.

빨리 잠들고 싶은 건 아빠예요. 내일
노르셰핑까지 운전을 해야 하니까요.

둔네가 말했어요.

"너무 행복해서 잠을 잘 수가 없어요, 아빠."

"그럴 때는 방법이 있지."

아빠는 좋은 수가 있다고 했어요.

"양을 세면 된단다."

"양은 재미없어요."

"그럼 양을 스무 마리부터 거꾸로 세어 보는
거야."

"양 스무 마리, 양 열아홉 마리, 양 열여덟
마리……."

둔네도 조금은 기대했지만, 효과가 없었어요.

열일곱 마리를 세려다가, 둔네는 사촌 언니
로세나가 알려 준 새로운 방법이 떠올랐어요.

눈을 감고 잠자는 척을 하는 거예요. 그러면
정말로 잠이 든대요.

성공이에요!
둔네는 곧바로 잠이 들었어요.

이제 자고 일어나면 그렇게 기다리던 내일이에요.
드디어 엘라 프리다가 있는 노르셰핑으로 가는

거예요.

　〈나의 행복한 인생〉에 새로운 책장이
시작되겠지요?

옮긴이의 말

제가 있는 스웨덴의 겨울은 몹시 춥고 아주 길어요.
겨울에는 해가 나오지 않는 날이 더 많아요. 점심을 먹고
나면 곧 어두워지고요. 그래서 겨울날 아침에 해가 나면,
무지무지 행복하답니다.

잠이 오지 않을 때, 둔네는 행복했던 때를 하나, 둘
세어 보아요. 작은 일에도 행복해하고, 행복하다는 말을
많이 하는 아이예요.

여러분은 자기가 행복하다고 생각하나요?

하루에 몇 번이나 행복하다고 말하나요?

행복이란 무엇일까요?

대답하기가 너무 어렵다면, 행복했던 순간을 떠올려
보세요. 그러면 우리는 날마다 행복할 수 있고, 행복은 아주
가까운 곳에 있다는 걸 알 수 있어요.

내가 반에서 수학이나 달리기를 제일 잘하지는 않아도,
선생님에게 가장 씩씩하게 인사하는 아이가 될 수 있다면
나는 행복할 거예요.

친구가 나 때문에 다친다면 난 행복하지 않겠지요.
그럴 때는 둔네처럼 용기를 내서 사과하면 돼요. 친구가
행복해졌으면 하는 따뜻한 마음으로요. 그러면 나도 다시
행복해질 수 있어요. 친구가 분명 내 마음을 알아줄
테니까요.

나는 행복해, 라고 말해 보세요.

해가 빛나서 나는 행복해. 따뜻한 밥을 먹어서 나는
행복해. 소중한 친구들과 함께할 수 있어서 나는 행복해.

행복했던 순간을 친구들에게도 이야기해 주세요.
그래서 더 많은 친구들이 행복해한다면 "난 행복한
친구들이 많아서 참 행복해요."라고 말할 수 있잖아요.

또 하루가 시작되어서 난 행복해요. 잔뜩 낀 구름에
가려서 보이지 않더라도, 어제와 다른 새로운 해가
떴으니까요. 그래서 난 행복해요.

황덕령